찰리와 유령 텐트

SEOUL, 2010

찰리와 유령 텐트

초판 제1쇄 발행일 2010년 2월 15일
초판 제34쇄 발행일 2022년 3월 20일
글 힐러리 매케이 그림 샘 헌 옮김 지혜연
발행인 박헌용, 윤호권 발행처 (주)시공사
주소 서울시 성동구 상원1길 22, 6-8층 (우편번호 04779)
대표전화 02-3486-6877 팩스(주문) 02-585-1247
홈페이지 www.sigongsa.com/www.sigongjunior.com

Charlie and the Haunted Tent
Text copyright ⓒ Hilary McKay, 2008
Illustrations copyright ⓒ Sam Hearn, 2008
All rights reserved.
Korean translation copyright ⓒ 2010 by Sigongsa Co., Ltd.
This Korean edition is published by arrangement with Scholastic Limited
through Kids Mind Agency, Seoul.

이 책의 한국어판 저작권은 키즈마인드 에이전시를 통해
Scholastic Limited와 독점 계약한 (주)시공사에 있습니다. 저작권법에 의해
한국 내에서 보호받는 저작물이므로 무단 전재와 무단 복제를 금합니다.

ISBN 978-89-527-8632-6 74840
ISBN 978-89-527-5579-7 (세트)

*시공사는 시공간을 넘는 무한한 콘텐츠 세상을 만듭니다.
*시공사는 더 나은 내일을 함께 만들 여러분의 소중한 의견을 기다립니다.
*잘못 만들어진 책은 구입하신 곳에서 바꾸어 드립니다.

KC마크는 이 제품이 공통안전기준에 적합하였음을 의미합니다.
제조국 : 대한민국 사용 연령 : 8세 이상
책장에 손이 베이지 않게, 모서리에 다치지 않게 주의하세요.

찰리와 유령 텐트

힐러리 매케이 글 • 샘 헌 그림
지혜연 옮김

시공주니어

차례

제1장
아침에 일어난 일

찰리는 여덟 살이었고, 아빠 엄마와 맥스 형이랑 함께 살고 있었다.

찰리는 이렇게 말하곤 했다.

"우리 집에서 정상인 사람은 나 하나야. 아빠는 너무 구닥다리고, 엄마는 정신이 이상하고, 맥스 형은 자기가 슈퍼맨인 줄 알아. 난 정말 다행이야!"

찰리가 이렇게 말하면 맥스는 그저 웃기만 했다.

맥스는 찰리와는 전혀 달랐다……

맥스는 키도 컸고 머리도 좋았으며 무슨 운동이든
잘했다. 맥스는 양손을 놓고 자전거를 탈 줄도
알았으며, 수학도 잘했다.

"그것참, 신기하네."

찰리와 가장 친한 헨리가 말했다. 헨리는 공책에 써서 하건, 계산기를 사용하건, 심지어 손가락을 다 써도 셈을 잘 못했기 때문이다.

맥스는 어느 밴드가 연주를 잘하고 어느 밴드가 엉망인지도 꿰뚫고 있었으며, 거미의 공격도 막아 냈다. 트램펄린 위에서는 공중제비를 하고 나서도 똑바로 착지할 수 있었다.

트램펄린 주인인 헨리가 찰리에게 말했다.

"잘난 척하는 거야."

"내가 이해할 수 없는 건, 그렇게 높이 뛰는데 어떻게 바지가 흘러내리지 않냐 하는 거야."

"그냥 평범한 청바지가 아닌 모양이야. 운동화도 그저 평범한 운동화가 아닐 거야."

정말로 맥스는 공을 찰 때 운동화가 벗겨져 날아간 적이 없었다. 무슨 농담을 하든지 단박에

사람들을 웃겼다. 웃을 때도 탄산음료가 코로 터져
나오는 법이 없었다.

헨리가 말했다.

"너네 형이랑 같이 살지 않는 게 얼마나 다행인지
몰라!"

맥스는 '빅 스쿨'이라는 좋은 학교에 다녔다.
찰리가 다니는 학교와는 비교가 되지 않았다.
이름만 들어도 어쩐지 즐거운 천국 같은 느낌이
들었다. 미끄러질 듯 반지르르한 복도, 책상에
매달려 있는 껌, 편리하게도 바로 옆에 있는 사탕
가게. 맥스는 학교를 무척 좋아했다. 아침마다
맥스는 빅 스쿨의 스쿨버스를 타려고 일찍
일어났다.

맥스는 짜증이 날 정도로 일찍 서둘렀다.

맥스는 찰리를 단 한순간도 편안하게 해 주지
않았다.

금요일 아침은 여느
때보다도 더 심했다.
"저리 비켜!"
맥스가 명령을 내리듯
소리쳤다. 찰리는 잠옷 바람에
아직도 잠이 덜 깨서 무슨
요일인지도 모르는
상태였는데, 맥스는
옷을 완전히 갖춰 입고
정신없이 이리저리
뛰어다녔다.

"그건 내 토스트야! 돌려줘! 잠깐만 서 봐. 네가
내 타이를 깔고 앉았잖아! 콘플레이크 내놔!
텔레비전 리모컨도! 그런 프로를 뭣하러 보고
있어?"
맥스 형 말에 찰리가 대구했다.

"내가 가장 좋아하는 프로야."

"저런 건 아장아장 걷는 아이들이나 보는 거야. 네 머리카락에 뭐가 묻었어. 잼인 것 같은데. 형 책가방 만지지 마. 아무것도 빌려 가면 안 돼. 뭘 빨아 먹고 있어? 내 도시락에 들어 있던 거 아니야? 넌 언제 옷을 갈아입으려고?"

찰리는 하품하며 물었다.

"형은 언제 이래라저래라 하는 걸 그만둘 건데? 오렌지 주스 내가 먹어도 돼?"

"아니. 방금 내가 따라 놓은 거야! 야! 너 어디로 가져가는 거야?"

찰리는 이미 사라지고 없었다. 오렌지 주스와 코코아 맛 시리얼과 과자 통도 함께 사라졌다. 찰리는 침대에서 아침을 먹는 게 더 조용할 거라고 생각했다.

찰리가 편안하게 침대에 누웠을 때였다. 맥스

형이 현관문에서 자기 이름을 부르는 소리가
들렸다.

"찰리! 찰리! 내 축구화 좀 던져 줄래? 빨리! 버스
놓치기 전에!"

찰리가 투덜거렸다.

"쭝얼 쭝얼 쭝얼."

맥스가 소리쳤다.

"찰리! 축구화! 어서!"

"만날, 이래라저래라 시키기만 해!"

찰리가 중얼거리더니 형 말을 들은 척 만 척했다.

욕실에서 샤워를 하던 엄마까지 찰리에게 소리를
질렀다.

"찰리! 맥스 형이 하는 말 안 들려?"

길거리에 서 있던 맥스가 소리쳤다.

"찰리, 어서!"

찰리 엄마는 욕실에서 소리쳤다.

"너, 엄마가 나가서 본다. 그때 다시 침대에 누워 있으면……."

찰리가 불평을 늘어놓았다.

"진짜 너무해요! 전 잠도 마음대로 못 자요?"

그제야 찰리는 침대에서 일어났다.

맥스가 밖에서 또 소리를 질렀다.

"서두르라고!"

찰리는 쿵쿵거리며 축구화가 있는 곳까지 걸어갔다. 그러고는 열려진 유리창까지 축구화를 질질 끌고 가서 있는 힘껏 한 짝씩 맥스 형 머리를 향해 던졌다. 맥스는 아래서 짜증을 부리고 있었다.

맥스의 비명이 들려왔다.

"안 돼!"

하지만 이미 때는 늦었다. 커다란 풍선이 터지는 소리가 났다.

"꽝!"

유리가 부서지는 소리가 이어졌다.
맥스가 말했다.
"이런 젠장!"

길모퉁이에 사는 아저씨는 아주 근사한 노란색
스포츠카를 몰았다. 아저씨는 큰길보다 안전할
거라고 생각해서인지 자기 차를
맥스와 찰리가 사는 집 앞
거리에 세워 두곤 했다.

　그런데 지금, 그 멋진 스포츠카 안쪽 어딘가에
축구화 두 짝이 들어 있고, 앞 유리에 끔찍하게도
엄청나게 큰 구멍이 났다.

　찰리는 얼른 안전한 곳으로 숨고 싶은
마음뿐이었다.

　맥스는 충격으로 말을 잃었다.

　찰리 엄마는 가만히 있지 않았다. 엄마는
욕실에서 나오다 마침 두 번째 축구화 한 짝이

떨어지는 소리를 들었던 것이다. 엄마는 제정신이
아니었다. 엄마는 찰리 방으로 무섭게 걸어
들어오더니 찰리를 침대 밑에서 끌어내 밖으로 끌고
나갔다. 그러고는 찰리가 무슨 짓을 저질렀는지
직접 보게 했다.

찰리가 보지 않으려고 하자 엄마는 무시무시한
목소리로 호통쳤다.

"눈 떠!"

찰리는 잠깐 눈을 떴다가 힐긋 보고는 재빨리
눈길을 돌렸다.

"아저씨가 이걸 보고 뭐라 하시겠니?"

"모르겠는데요."

찰리는 그렇게 대답하고는 유리 조각 두 개를
집어 들고 퍼즐을 맞추듯이 서로 맞춰 보면서 말을
이었다.

"기뻐하시진 않겠죠. 하지만 따지고 보면 아저씨

잘못이에요. 아무거나 떨어질 수 있는 이런 곳에
차를 세워 놓았으니까요."

"뭐라고?"

찰리 엄마는 자기 귀를 믿을 수 없다는 듯
되물었다.

"하지만 본인은 그렇게 생각하지 않겠죠."

엄마는 흥분을 가라앉히지 못하고 물었다.

"그래, 이제 어떡하면 좋겠니?"

"엄마가 가서 죄송하다고 하시고 그럴 생각이
아니었다고 말씀드릴 수밖에 없겠죠."

"내가 죄송하다고 말할 수밖에 없다고?"

찰리는 희망을 버리지 않고 덧붙였다.

"아니면, 아무것도 모르는 척하면 어떨까요?"

찰리 엄마(이제는 화가 나서 제정신이 아닌
듯한)가 말했다.

"아니지, 찰리. 모르는 척할 수는 없어. 그리고,

가서 죄송하다고 사과할 사람은 내가 아니야.
축구화를 던진 사람은 너잖아! 그러니 잘못했다고
사과하러 갈 사람은 너라고."

　"제가요?"

　"그래."

　찰리 엄마는 그렇게 말하더니 무섭게 손가락으로
아저씨 집 쪽을 가리켰다.

"당장!"

"하지만……."

찰리는 더럭 겁이 났다.

"그 아저씨, 차를 끔찍하게 아끼던데."

"나도 알아. 어서 가!"

"어디에 사시는지 잊어버린 것 같아요!"

찰리 엄마는 섬뜩할 정도로 차분하게 말했다.

"찰리, 엄마 이러다 폭발할지도 몰라."

찰리는 잠옷을 입은 채 길모퉁이에 사는 아저씨를 찾아가 차에 무슨 일이 생겼는지 알려 주러 나섰다. 가고 싶지는 않았지만 엄마가 난리를 칠까 봐 가지 않을 수 없었다.

하지만 혼자는 아니었다. 길을 나서자마자 뒤에서 발자국 소리가 들렸다.

맥스가 말했다.

"내가 같이 가 줄게."

맥스 형은 그저
따라가 주는 걸로
끝내지 않았다.
길모퉁이 집의
현관문이 열리고,
노란색 스포츠카
주인아저씨가 현관문
앞으로 나와 두 아이를 빤히 쳐다보자, 찰리는 거의
말문이 막혀 버렸다.

그때 맥스가 대신 말을 건넸다.

"정말 너무너무 죄송한 말씀을 드리러 왔어요.
아저씨 차에 끔찍한 사고가 있었어요."

"사고?"

"앞 유리창이 깨졌어요."

"깨져?"

"예, 차 안에 유리 조각이 흩어졌어요. 정말 죄송합니다. 괜찮으시다면 같이 가서 차를 열어 주시겠어요? 제 축구화가 안에 들어 있는데 오늘 학교에서 꼭 필요해서요."

길모퉁이에 사는 아저씨가 다그치듯 물었다.

"지금 네 말은, 네 축구화가 내 차 유리창을 깼다는 거냐?"

맥스는 고개를 끄덕이고는 찰리를 쳐다보았다. 찰리는 두 사람을 놀란 토끼 눈으로 쳐다보고 있었는데, 금방이라도 울음을 터뜨릴 것 같았다.

맥스가 말했다.

"사고였어요. 그렇지, 찰리?"

아저씨가 버럭 소리를 질렀다.

"네 동생이 한 짓이라고 둘러대려 하지 마! 불쌍한 네 동생이 아직도 잠옷 바람인 것을 두

눈으로 똑똑히 보고 있으니까! 자, 어서 집으로
돌아가라! 부모님에겐 내가 보험 회사와 상의한
다음 곧 찾아가겠다고 말해. 너도 오늘은 그 망할
놈의 축구화 없이 지내봐라. 부끄러운 줄 알아!"
　아저씨는 돌아서서 안으로 들어가더니 문을 쾅
닫아 버렸다.

찰리는 내내 한마디도 할 수 없었다. 찰리는 머리카락 하나 움직일 수가 없었다.

"가자, 찰리."

맥스는 찰리의 어깨에 팔을 두르고는 찰리를 데리고 집으로 갔다.

찰리는 돌아오는 내내 아무 말도 하지 못했다. 무사히 집에 도착할 때까지 아무 말도 없었다.

마침내 목소리를 찾은 찰리가 형에게 말했다.

"형!"

"왜?"

"고마워!"

맥스가 대답했다.

"아, 뭘⋯⋯."

제 2 장
오후에 일어난 일

　맥스와 찰리는 그날 학교에 늦어서 엄마(그래도
조금은 차분함을 되찾은)가 차로 학교에 데려다
주었다. 엄마는 맥스를 먼저 내려 주었다. 맥스는
대단한 것이라도 놓친 듯 학교로 달려 들어갔다.
하지만 찰리는 서두르지 않았다. 찰리는 딴 데
정신이 팔린 아이처럼 어슬렁어슬렁 걸어갔다.
머릿속에는 맥스 형 생각뿐이었다. 형은 아저씨한테

같이 가 주고, 공손하게 대신 설명해 주고, 아저씨가
소리를 질러도 다 참고, 이른 아침부터 심술이 나서
자동차 앞 유리창으로 축구화를 던진 사람이
찰리라고 암시하는 말을 단 한마디도 하지 않았다.

찰리는 고마운 형에게 어떻게든 멋지게 보답하고
싶었다.

헨리가 제안했다.

"미안하다는 시를 지어서 써 주지그래."

헨리는 문제를 일으킬 때마다 종종 시를 지었다.
그래서 헨리 엄마에게는 시가 무척 많았다. 사실,
그날 아침에도 헨리는 이렇게 시작하는 시를 지어
자기 엄마에게 주었다.

"죄송해요, 화장실 문고리를 망가뜨렸답니다……."

그러고는 운율을 맞추어 시를 끝맺었다.

헨리가 계속했다.

"난 정말 시를 잘 써. 아주 많이 써 봤거든. 원하면 내가 시작해 볼게.
들어 봐……. '미안
미안해, 길모퉁이
사는 아저씨가 형이
유리창을 깼다고
오해하도록
두어서…….' 여기에다

네가 변명거리를 갖다 붙여 봐."

찰리는 한숨을 쉬었다.

헨리가 계속했다.

"유리창과 같은 음절로 시작되는 단어를 찾으면
되는 거야! 아주 쉽다고!"

"그 정도로는 안 돼."

찰리는 유리창과 같은 음절로 시작되는 단어를
찾는다고 해도 그깟 시 정도로는 형에게 제대로
고마움을 표현할 수 없다고 생각했다. 그보다는

훨씬 더 남자답고 영웅다운 행동이 필요했다.

대단히 영웅다운 것…….

으르렁거리는 호랑이 코앞에서 구해 낸다거나.

갑판까지 물이 차 가라앉고 있는 배에서 구해
낸다거나.

모래 지옥(여긴 그나마 아주 쉬운 곳이다. 입에다
밧줄을 물고 가까이 헤엄쳐 가기만 하면
되니까)에서 구해 낸다거나.

혹은 늪에 사는 보아 뱀의 공격(꼬리로부터 몸을
풀면 되니까, 하고 찰리는 생각했다. 뱀이 한
마리뿐이라면 그렇게 어려울 것도 없었다. 물론 한
마리가 넘으면 상황은 달라지겠지만)에서
구한다거나. 만약 한 마리가 넘으면 두 녀석의
꼬리를 서로 묶어 버려야지, 하고 찰리는 생각했다.
그러면 서로 뒤엉켜서 꽉 죄는 동안에 맥스 형을
풀어내 늪에서 끌어내야지, 하고 생각했다. 그리

힘들 것 같지 않았다.

혹은 형을 납치하려는 외계인들로부터 구하는
일도 그리 어려울 것 같지 않았다. 녀석들이 한 번도
본 적 없는 물건으로 녀석들과 싸우는 것이다. 예를
들어 집에서 키우는 고양이 수지나 바트 심슨(만화
영화 ‘심슨 가족’ 의 주인공 : 옮긴이) 모양의
손전등이나 다마고치(일본의 디지털 애완동물

이름 : 옮긴이) 총. 녀석들이 무슨 물건인지 살피는 동안 비상 탈출구를 찾아내고 맥스 형의 다리를 풀어 주는 거다. 그런 다음 함께 도망치는 거지(물론 형이 먼저 도망치게 할 것이다). 조종석을 지나서 우주선을 가로질러 탈출구를 통해…… 그럼 형을 무사히 구해 낼 수 있겠지…….

바로 내가 형을…….

찰리는 상상을 계속했다.

모든 것이 끝난 다음, (경찰들이 외계인들을 잡아 동물원에 집어넣을 때도 내가 도와주는 거지) 맥스 형은 이렇게 말할 거야.

"찰리?"

그럼 내가 대답하겠지.

"왜?"

형이 이렇게 말하는 거야.

"고마워!"

그럼 나는(제임스 본드보다 더 침착하게)
대답한다.

"아하, 뭐 그런 걸 가지고."

찰리가 상상한 모든 꿈들은 다 그런 식으로
끝났다. 사람들은 찰리에게 엄청난 환호성을
지른다. 찰리는 정말로 자기가 그런 일을 다 한
것처럼 느꼈다. 찰리는 나중에 언제라도 맥스 형이
어려운 일에 처하면 언제든 당장 달려갈 거라고
결심했다. 그 어느 영웅보다도 더 영웅답게 형을
구해 낼 거라고 결심했다.

정말 당장에 그렇게 하고 싶은 마음이 간절했다.

찰리는 기분이 좋아져서 집으로 향했다. 집 앞에
있던 노란색 스포츠카가 없어져서 기분이 한결 더
좋았다. 차가 거기 있었다는 것을 말해 주는 것은
아주 작은 유리 조각뿐이었다.

찰리 엄마가 말했다.

"차는 수리 중이야. 우리가 비용을 다 대게 됐어. 그게 무슨 말이냐고 묻지 마. 여덟 살짜리에게 자동차 보험에 대해 설명해 주고 싶은 생각은 전혀 없으니까. 하지만 멋진 궁전에서 생일 파티를 하리라는 희망은 이제 완전히 물 건너갔다는 것만 명심하도록 해."

엄마는 흥분한 상태였다. 찰리의 눈에 분명히 보였다. 짐까지 쌀 정도로 흥분했다. 엄마는 집 안을 돌아다니면서 닥치는 대로 가방에 넣었다.

엄마가 말했다,

"이건 네 거구나. 아니, 아무것도 꺼내지 마라! 그건 맥스 거야……. 그건 내 거고. 그건 할……."

"무슨 일인데요?"

찰리가 다시 물었다(한순간 찰리는 길모퉁이에 사는 아저씨가 화를 너무 내서 이사 가야 하는 건가,

하는 생각이 들었다).

"무슨 일이에요?"

"할머니. 할머니가 쓰러지셨어. 엄마가 하루 이틀
정도 가 있어야 해. 아빠는 주말 내내 회사에 나가
봐야 한대. 그렇다고 너를 데려갈 수도 없고……
옆집에서 수지(수지는 우리 집 고양이다) 밥은
준다고 했어……. 넌 헨리 엄마가 맡아 주신다고
했고……."

"와, 잘됐네요……."

찰리가 그렇게 말하다가 멈췄다. 생각해 보니
헨리네 집은 길모퉁이 아저씨 집에서 아주
가까웠다.

찰리의 엄마가 계속 말했다.

"그리고 맥스 형은 엠마 이모 댁에 갈 거야."

찰리는 숨을 쉴 수가 없었다. 찰리는 기절할 것
같았다.

엄마가 이모라고 했지만 사실 엠마 할머니는
이모뻘이 아니었다. 이모가 아니라 할머니뻘이었다.
엠마 할머니는 할머니의 언니였다. 그리고 맥스
형의 대모(가톨릭에서 신앙의 증인으로 세우는 여자
후견인: 옮긴이)이기도 했다. 사실 엠마 할머니는
착하고 좋았지만 할머니 집에는 유령이 살았다.

맥스 형이 여덟 살이었을 때, 엠마 할머니 집에서
잠깐 지내고 온 적이 있었다.
맥스가 돌아와 이렇게 말했다.
"절대, 앞으로 무슨 일이 있어도 엠마 할머니
댁에는 가지 않을 거예요. 수백만 년이 흘러도, 수백
억을 준다고 해도."
그 뒤로 맥스 형은 유령 이야기만 나오면 엠마
할머니 댁에 갔던 일을 떠올렸다. 그럴 때마다 엄마
아빠는 언제나, "무슨 말도 안 되는 소리냐?"라며

야단쳤지만 그 이야기는 남자아이들에게는 집안의
전설처럼 전해 내려오는 이야기가 되었다.

찰리는 이야기를 떠올리며 말했다.

"말도 안 돼요. 맥스 형을 엠마 할머니 댁에
보내서는 안 된다고요."

찰리의 엄마가 대답했다.

"형을 안 보낼 순 없어. 엠마 할머니가 직접
전화까지 하셔서 초대했다니까."

"형은 지금 어디 있어요?"

갑자기 뒤에서 형이 나타나며 말했다.

"나 여기 있어. 그리고 엄마, 말도 안 돼요. 찰리랑
헨리네 집으로 가면 되잖아요. 아니면 수지와 함께
옆집에 가면 어때요? 왜 좀 더 일찍 말씀해 주지
않았어요? 그럼 학교 친구네서 자고 올 수 있게
미리 말해 볼 수도 있었잖아요. 그리고 그냥 집에
있으면 왜 안 되는데요?"

엄마가 맥스에게 물었다.

"너 혼자 있겠다고? 물론 그럴 수는 없어."

"엠마 할머니 댁에 가는 것보다는 수백만 배 더 나을 거예요."

그리고 잠시, 맥스 형은 간절한 눈빛으로 찰리를 쳐다보았다.

그 순간, 유리창 밖으로 차 한 대가 지나갔다. 어느새 찰리는 자신도 모르게 소파 뒤 바닥에 납작하게 엎드려 숨고 있었다.

맥스가 말했다.

"다른 차야. 완전히 달라. 노란색도 아닌걸."

찰리는 뒤에서 기어 나오며 변명했다.

"그냥 넘어진 거야."

"그랬겠지."

맥스는 엄마가 자기를 위해 꾸려 놓은 짐을 보더니 화가 난 듯 발로 찼다.

"갑자기
미끄러졌다니까.
그냥 넘어진 김에
소파 뒤에 뭐가
있나 살핀
거라고."

찰리 말에 맥스
형은 어깨를 으쓱였다.

찰리가 또 말했다.

"겁이 난 게 아니라니까."

"언제 내가 너더러 겁이 났대?"

"만약에……."

찰리는 말을 시작하다가 멈추었다.

"만약에 뭐?"

찰리는 속으로 '내가 오늘 얼마나 많은 위험
속에서 형을 구해 주었는데.' 라고 생각했다.

'형이 필요로 할 때마다, 사자들로부터! 물에
빠졌을 때! 외계인들로부터! 절벽에서 떨어질 때!
뱀이 잔뜩 깔린 늪에서(그게 가장 쉽기는 했지만).'
　　다시 한 번 상상 속에서나 가능한 용기가
찰리에게 생기기 시작했다. 찰리는 후끈 몸이
달아올랐다.
　　하루 종일 형을 위험한 상황에서 구해 냈는데!
그런 생각을 하면서 찰리는
형을 뿌듯한 마음으로
쳐다보았다.

형은 마지막으로 한 번 더 가방을 발로 차고는
풀이 죽어서 소파에 털썩 주저앉았다.

형이 투덜거렸다.

"엠마 할머니 댁이라니!"

꿈만 꾸던 영웅 찰리가 실제로 영웅이 되었다.

"내가 같이 가 줄게."

제3장
저녁에 일어난 일

헨리가 그 소식을 듣고는 버럭 화를 냈다.

헨리가 징징거렸다.

"너 우리 집에 오기로 했잖아. 방 안에서 말고 정원에서 텐트를 치고 자려고 엄마한테 겨우 허락도 받아 놨는데. 왜 맥스 형을

따라가겠다는 거야? 길모퉁이에 사는 아저씨가
무서워서 멀리 도망치려고?"

"아니!"

찰리는 그렇게 대답해 놓고는 잠시 생각했다.

'제임스 본드(영화 '007' 시리즈에서 스파이를
맡고 있는 주인공 이름 : 옮긴이)라면 이런 어리석은
질문에 다 대답했을까?'

찰리의 엄마도 답답하기는 마찬가지였다.

"어리석은 짓은 하지 않는 게 좋을 거야."

찰리가 생각했다.

'세상에! 중요한 임무를 수행하려고 떠나는
제임스 본드가 어리석은 짓을 하지 말라는 말을
참고 들어야 하다니……'

아무도 찰리를 슈퍼 영웅으로 인정하려 들지
않았다. 맥스조차. 맥스는 엠마 할머니 댁으로 차를
타고 가는 내내 계속 유령 얘기만 했다.

맥스가 찰리에게 말했다.

"너, 지금 네가 무슨 짓을 하고 있는지 몰라서
이래. 아마 상상도 못할 거야."

"아니, 나도 알아. 형이 수십 번도 더 말해 줬잖아.
할머니네 부엌에 있는 소파 침대에서 자는 게
얼마나……."

"꼭 음식점에서 나는 것 같은 냄새가 나……. 칠흑
같은 방에는 불을 켜는 스위치가 문 옆에 달려
있어서 스위치를 찾으려면 침대에서 일어나 벽을
더듬어야 해. 그래서 손전등을 가져왔지. 하지만 그
집에 가면 손전등도 제대로 작동 안 해. 지난번에도
켤 수가 없었어."

"형이 그 이야기도 했었어. 벽을 긁어 대는 소리와
똑똑 두들기는 소리가 들렸다는 거랑 갑자기 공기가
차가워졌다는 이야기도."

"마치 유령 같다니까. 유령이 손가락으로 너를

더듬는다고 생각해 봐. 슬며시 나에게 다가와 귀에
대고 숨을 훅 불었어. 내가 그 말도 했나? 내
머리카락을 만지는 것 같기도 했다니까."

엄마가 끙 소리를 내더니 말했다.

"그건 엠마 할머니의 손가락이었다고 내가
말했잖아!"

맥스는 우겼다.

"아무도 없었다니까요."

"이모가 방이 따뜻한지 살피고 잘 자라는 뽀뽀를

하려고 들르셨던 거라니까."

맥스는 짜증을 냈다.

"엠마 할머니가 아니었다니까요! 그리고
할머니는 그런 행동을 하지 않아요."

맥스 말이 맞았다. 아이들이 도착하자 엠마
할머니가 큰 소리로 반겼다.

"맥스! 네가 다시 와서 얼마나 반가운지
모르겠구나! 걱정 마! 뽀뽀하지 않을게! 나도 네
나이였을 때 친척들이 뽀뽀하는 게 얼마나
싫었는데. 아직도 기억이 생생하다고! 그런데 이
아이는……."

"찰리예요!"

찰리는 할머니에게 제임스 본드 흉내를 내면서
인사했다.

"내 이름은 찰리!"

내 이름은 찰리!

"찰리!"

엠마 할머니는 찰리를
내려다보며 말했다.

"어머나, 많이 컸구나! 맥스
형보다 훨씬 많이 컸어! 들어와,
007!"

그 순간부터 찰리와 엠마
할머니는 친구가 되었다. 엠마
할머니는 찰리가 이제껏
만났던 사람들과 달랐다. 할머니는 처음부터 찰리를
세상에서 가장 용감한 아이로 대해 주었다. 그래서
찰리는 점점 더 겁이 없어졌다.

엠마 할머니가 찰리더러 맥스와 함께 집 안을
둘러보라고 했을 때, 찰리는 계단 밑에 있는
칠흑같이 컴컴한 창고 속으로 들어가 신발과 부츠
사이를 기어 다녔다.

맥스 형이 물었다.

"왜 그래?"

찰리가 뽐내면서 대답했다.

"그냥 해골이 있나 살펴보려고."

점심시간에 맥스가 후식으로
먹을 바나나를 쪼개고 있을
때(집에서는 절대로
조리대 가까이 가는
것이 허락되지
않았던 찰리였지만)
핫도그에 넣을
소시지와 양파를 볶은 사람도
찰리였다. 맥스가 만든 바나나
후식도 좋았지만 거의 검게 탄
양파가 잔뜩 얹어져 있던
핫도그는 정말 훌륭했다.

다 먹고 난 뒤 찰리는 프라이팬을 깨끗이 문질러 닦았다. 맥스와 엠마 할머니는 또 한 번 놀랐다.

엠마 할머니가 말했다.

"아무리 해도 소용없었는데……. 내 다 버리려던 참이었단다."

찰리는 프라이팬을 깨끗이 닦은 상으로 임무를 맡았다. 흔들거리는 사다리를 타고 천장에 난 문을 통해 다락방으로 올라가 아주 오래된 냄새가 나는 텐트를 가져오는 일이었다.

"오늘 밤에는 쓰고 싶지 않을 거다."

엠마 할머니는 정원에 텐트 세우는 것을 도와주면서 말했다(맥스가 버팀목을 잡는 동안 찰리는 엄청나게 큰 나무망치로 쐐기를 박았다).

"곰팡이 냄새가 심하게 나거든. 내일이면 다 날아가 괜찮을 거야. 원하면 내일 텐트에서 자도 좋아."

　텐트를 세운 다음, 찰리와 맥스는 어두워지기
전에 공원으로 달려갔다. 맥스는 엠마 할머니에게
축구 기술을 보여 주었고 찰리는 무릎으로 철봉에
매달리는 묘기를 보여 주었다. 찰리는 그 자세
그대로 머리부터 땅바닥으로 떨어지는 묘기도
보여 주었다.

찰리는 눈을
껌뻑이다 멈추고
말했다.

"원래 이렇게 하려던
거예요."

엠마 할머니는 크게
인심 쓰듯 말했다.

"이제 집으로
돌아가자. 가다가
'지옥의 천사'라는 술집에 잠깐 들르자꾸나.
음료수를 마시면서 어떤 오토바이가 가장 마음에
드는지 골라 보자고. 사람들이 오토바이를 밖에
줄지어 세워 놓았거든. 아주 멋지단다."

오토바이들은 정말 근사했다. 맥스는 당장 돈을
모으기 시작해야겠다고 말했다. 가죽옷을 차려입은
오토바이 족들 옆에서 레모네이드를 마시며

거들먹거리던 찰리는 가장 큰 오토바이 옆으로
되도록 가까이 다가가서 마치 자기 것인 양 기분을
냈다.

다행히 오토바이 주인은 친절했다.

"원하면 한번 올라가 앉아 보렴."

"와!"

찰리는 마치 늘 오토바이를 타던 사람처럼
익숙하게 안장에 훌쩍 올라탔다.

오토바이에 타고 있던 찰리는 노란색 차가 휙
지나가자 그만 바닥으로 굴러떨어지더니 맥스 형과
엠마 할머니 뒤에 숨었다. 그러고는 매우 빨리
달리기 시작했다.

찰리는 어깨 너머로 맥스 형에게 소리쳤다,

"집까지 달리기 시합하자, 형."

맥스는 뒤에서 찰리에게 소리쳤다.

"완전히 다른 차야."

그러자 찰리는 조금은 점잖게 걸음을 늦추었다.
맥스와 엠마 할머니가 따라왔을 때는 거의 침착함을
되찾은 뒤였다. 찰리는 유령을 보고 싶은 마음에
어두컴컴한 부엌 안을 유리창을 통해 들여다보았다.
맥스도 몸을 숙이고 같이 들여다보았다.

"너희 둘 다 너무 피곤해서 유령에게 쫓기기도
힘들 거야."

엠마 할머니는 둘을 보고 웃으면서 덧붙였다.

"오늘 밤 유령이 나타나지 않는다고 크게
실망하지 않았으면 좋겠구나."

맥스가 대답했다.

"찰리는 무척 실망할 거예요."

찰리는 정말 실망했다.

제 4 장
부엌에서 일어난 일

찰리는 너무나 실망했다.

찰리는 믿을 수가 없었다. 영웅 중의 영웅인
찰리와 겁을 잔뜩 먹은 맥스는 음식점 냄새가 나는
엠마 할머니네 부엌에서 침낭을 나란히 놓고
누웠다. 유령을 만날 때를 대비해 모든 준비를 다
갖춘 상태였다.

그런데 무슨 일이 일어났을까?

유령도 없었을 뿐 아니라, 잔뜩 겁을 집어먹은 맥스 형의 모습도 볼 수가 없었다.

맥스는 깊은 잠에 빠져 버렸던 것이다.

'잠을 자다니! 그것도 코까지 골면서! 아니, 망할 놈의 유령은 어디 있다는 거야?'

찰리는 혼자서 계속 투덜거렸다.

'아무것도 없잖아. 힘들게 여기까지 왔는데. 헨리네 집에서 캠핑이나 할걸.'

생각하면 할수록 점점 더 짜증이 났다.

얼마나 짜증이 났던지, 찰리는 맥스 형이 아주 편안하고 더할 나위 없이 행복하게 코를 골자 형을 발로 찼다.

그건 참 잘한 짓이었다. 당장에 코 고는 소리가 그쳤다. 순간 맥스는 잠에서 깨어나 어둠 속을 물끄러미 바라다보며(아주 겁을 집어먹고) 물었다.

"뭐였지? 뭐였냐고? 찰리, 너도 느꼈어?"

"그건…… 그저……."

대답하려던 순간, 찰리는 맥스 형이 자기가 찬 걸 가지고 유령이 찬 거라고 오해하고 있다는 걸 깨달았다.

찰리는 처음엔 이렇게 말할 생각이었다.

'내가 찬 거야.'

하지만 마음을 바꿨다.

찰리는 아주 침착하게 시치미를 떼고 말했다.

"나는 아무것도 못 느꼈는데. 어서 자."

맥스는 잠에서 깼을 때만큼이나

빨리 잠이 들고 말았다.

'불쌍한 형!'

찰리는 그렇게 생각하면서 맥스 형을 살짝 쿡 찔렀다. 그러고는 반대편에서 한 번 더 찔렀다.

"으—악!"

맥스는 자다가 비명을 지르더니 머리를 베개 밑으로 숨겼다.

맥스는 분명 유령에게 쫓기고 있었다. 코 고는 소리조차 쫓기는 듯했다.

용감한 맥스가 베개 밑으로 머리를 집어넣는 모습을 보자 찰리는 신이 났다.

시간이 한참 흐른 뒤 찰리는 형이 질식할지도
모른다는 생각에 꺼내 주기로 마음먹었다. 찰리는
아주 조심스럽게 맥스의 베개를 잡아 뺐다. 그
바람에 맥스는 잠에서 깼다. 맥스는 돌아눕더니
벌떡 일어나 찰리를 잡아 흔들었다.

"어…… 안녕!"

찰리는 마치 한참 동안 잠을 자고 있어서
아무것도 모른다는 듯 중얼거리며 인사했다.

맥스는 급박한 목소리로 나지막하게 찰리에게
말했다.

"찰리! 놈이 여기 있어! 자다가 느꼈다고. 갑자기
으스스 추워졌어. 들어 봐!"

"끼이익 끼이이…… 덜커덩덜커덩……."

찰리는 귀를 기울였다. 집이 낡아 나는 소리일
뿐이었다. 파이프에서 들려오는 거품 소리, 밖에 서
있는 나무 사이로 불어오는 바람 소리. 전혀 유령

소리 같지는 않았다. 사실,
이렇게 유령이 없다는
느낌이 든 적도
없었다.
맥스는 생각이
달랐다.
맥스는 불만이
가득해서는 말했다.

"지난번하고 똑같아."

찰리가 말했다.

"지난번하고 같지는 않지. 이번에는 내가 있잖아!
내가 불을 켤게."

찰리는 침대에서 벌떡 일어나 손으로 벽을
더듬었다. 잠시 뒤에 문 옆에 있는 스위치를 찾아
찰칵 불을 켰다.

맥스는 안도의 한숨을 내쉬었다.

맥스가 찰리에게 물었다.

"너는 아무렇지도 않아?"

찰리는 씩 미소를 지으며 고개를 끄덕였다.

맥스가 말했다.

"흠, 이래서 정말 싫어. 이럴 줄 알았다니까.
지난번하고 똑같아. 달리 갈 데가 있었으면
좋았을걸. 텐트에서 잤으면 싶었는데…… . 찰리!"

"뭐?"

"텐트에서 잘 수도 있어! 침낭도 가져왔잖아!
유리창으로 넘어서 나가면 돼."

찰리는 못마땅했다. 다른 때 같았으면 옳다구나
하고 유리창을 타고 넘어 밖으로 나가 텐트에서
잤겠지만(특히 집이 아닌 다른 곳에서 잠을 잘
때는). 이 순간은 맥스 형을 괴롭히는 유령이 되어
노는 것이 너무나 재미있었다. 찰리는 조금 더 오래

그러고 싶었다.

찰리가 물었다.

"만약에 텐트에도 유령이 있으면 어떡하려고?"

"그런 바보 같은 소리 마!"

불이 켜져 있어서인지 맥스 형은 어느새 기분이
좋아 보였다.

"텐트에 유령이 나타났다는 소리 들어 본 적
있어? 어서 서둘러!"

그래서 찰리는 서둘렀다. 맥스 형이 하겠다고
마음먹은 일이라면 실랑이를 벌여도 소용없기
때문이다. 찰리가 싫다고 해도, 맥스 형은 자기를
부엌에 내버려 두고 나갈 터였다.

찰리는 맥스 형을 도와 아주 조용히 부엌
유리창을 열었다. 그러고는 침낭과 베개 더미를
정원으로 던졌다. 얼마 되지 않아 둘은 다시
잠자리에 눕게 되었다. 들려오는 소리가 달라졌다.

텐트 천에 부딪혀 오는 바람 소리, 나뭇잎이
부스럭거리는 소리, 정원 어딘가에서 다다닥거리며
빨리 움직이는 소리.

맥스 형은 만족스러운지 말했다.

"훨씬 좋다. 그렇지, 찰리?"

찰리는 괜찮지 않았다. 영웅이 될 기회가 이제는
완전히 사라져 버렸던 것이다. 맥스가 그 기회를

허락하지 않은 셈이었다.

찰리는 '에이, 짜증 나, 짜증 나, 짜증 나.' 하고 생각했다.

찰리는 큰 소리로 떠들었다.

"아주 무시무시한 이야기나 하자, 형."

맥스는 하품을 하면서 대답했다.

"아침에."

"형, 정말 우리가 저 안에 유령을 두고 왔다고 믿는 건 아니지?"

"뭐? 그건 사실이야. 유령이 있는지 아닌지는 느낌으로 알 수 있거든. 섬뜩한 기분이 드는지 아닌지로 말이야. 저 부엌은 아주아주 느낌이 으스스해. 하지만 이 텐트는 괜찮아. 넌 모르겠어?"

"난 다 똑같은데."

찰리는 진심이었다.

"어쨌든, 유령이 우리처럼 유리창을 넘어 나오면

어떻게 하려고?"

맥스는 침낭에 아늑하게 자리를 잡으면서
대답했다.

"내가 창문 닫았어."

찰리는 갑자기 아주 기막히게 써먹을 수 있는
유령에 대한 사실이 생각났다.

"유령은 벽을 뚫고 다닐 수도
있다고. 그러니 유리창도
쉽게 통과해서 나올 수
있을걸! 죽이게 쉽게! 이미
죽어 버린 사람들이잖아!
농담이라고, 농담!"

맥스는 졸린 목소리로
맞장구쳤다.

"그래그래, 재미있다."

찰리는 기대에 차서

말했다.

"내 생각에는 유령이 유리창 밖으로 기어 나와 잔디를 가로질러 우리를 쫓아와서…… 바로 여기 있다!"

아무 반응이 없었다.

졸린 듯 침묵이 흘렀다.

그런 시간이 계속되었다.

계속,

계속,

계속.

찰리는 한숨을 깊이 내쉬었다.

제 5 장
텐트에서 일어난 일

깊고 깊은 아주 깜깜한 밤이었다. 자다가 깬
찰리는 이상하게 가슴이 쿵쿵 뛰었다. 주위는 쥐
죽은 듯 조용했다. 맥스 형은 찰리 옆에서 얌전히
누워 자고 있었다. 문득 찰리는 이상한 소리가 들려
자신이 깼다는 걸 깨달았다.

찰리는 어둠 속에서 귀를 기울이며 얌전히 기다려
보았다.

몹시 추웠다. 차가운 공기가 얼굴을 덮어 왔다.

찰리가 나지막하게 형을 불렀다.

"맥스 형?"

텐트 안은 축축했고 마치 다락방에서 나는 듯한 쾌쾌한 냄새가 났다. 점점 추워지고 있었다. 밖에서는 딸가닥거리는 소리가 들렸다. 이상한 모양의 무언가가 텐트 천의 벽을 따라 움직이고 있었다. 둥글고 시커먼, 마치 손가락같이 생긴 무언가가 희미한 작은 줄을 그리며 천천히 움직이고 있었다.

쿵!

찰리의 배 한가운데로 커다란 물체가 떨어졌다.

찰리가 소리를 질렀다.

"맥스 형! 왔어! 놈들이 왔어! 정말 유리창 너머로 우리를 따라왔나 봐!"

맥스가 끙 하고 앓는 소리를 냈다.

"일어나라니까! 일어나! 어떻게 해야 할지
알았어!"

찰리는 이미 텐트 밖으로 나가서 맥스 형과
침낭을 포함한 모든 물건들을 잔디 위로 끌어당기고
있었다.

"빨리 나오라니까!"

찰리는 소리를 지르며 어둠 속에서 이리저리
뛰어다녔다. 그러고는 텐트의 쐐기 못을 빼더니
밧줄을 풀었다.

"버팀목 조심해! 아하!"

텐트가 무너져 내릴 때, 맥스와 텐트 벽에 유령의
자취를 남겼던 달팽이와 옆집 고양이(찰리가 어떤
사람인지 보려고 찰리의 배에 내려앉았던)는 기가
막힌 표정으로 찰리를 쳐다보았다.

찰리가 소리쳤다.

"하! 잡았다! 잡았어, 맥스 형! 놈이 덫에

걸렸다고! 납작하게 뭉개졌어."

"찰리, 이 바보야! 이제 어떡할 거야?"

"녀석을 깔고 앉아야지! 뭉개 버려야 한다고! 자,
어서!"

찰리는 자기 침낭을 텐트 더미에 던져 놓고는
침낭 안으로 들어가 몸을 꿈지럭거렸다. 몇 분 동안
망설였던 맥스도 똑같이 따라 했다.

찰리는 씩 웃으면서 말했다.

"아마 녀석은 이렇게 되리라고는 상상도 못했을 거야."

"그래, 분명 그랬겠지."

"아마 앞으로도 영원히 사람들을 괴롭히지 못할걸. 흠, 다시는…… 물론 녀석은 이미 죽은 목숨이지만 내 말은…… 무슨 뜻인지 알지…… 사람들에게 덤벼들지 못할 거라는 말이야."

"그런 일이 있었어? 놈이 덤벼들었어?"

"응."

"느낌이 어땠는데?"

"무거웠어. 그리고 힘도 센 것 같더라. 그리고 엄청나게 컸어. 헨리가 형을 깔고 앉은 적 있어?"

"응."

"꼭 그런 느낌이야. 조금 더 크기는 했지만. 헨리의 열 배 정도."

"고양이 같지 않고?"

"절대!"

"그냥 추측이야. 옆집 울타리 벽에 고양이가 앉아 있어서. 어쩌면 고양이가 아니었을까 하는 생각이 들었거든."

찰리는 펄쩍 뛰었다.

"아니야. 고양이보다는 수천 수백만 배 더 컸다니까. 분명해. 걱정할 필요 없어. 지금은 납작하게 뭉개졌을 테니까."

맥스는 껄껄 웃었다.

울타리에 앉아 있던 고양이가 다리 하나를 공중으로 쭉 뻗더니 한밤중에 목욕을 시작했다. 텐트의 벽을 기어 올라가다가 깜짝 놀라서 조용히 숨어 있던 달팽이가 다시 길을 나섰다. 엠마

할머니의 정원은 아주 평화로운 곳처럼 느껴지기
시작했다.

맥스가 말했다.

"정말 좋구나. 별 좀 봐!"

"별들은 좋아. 하지만 별 모양은 아니야, 그렇지?
그러니까 내 생각에는, 별이라고 불러서는 안 될 것
같아."

"그렇다면 뭐라고 불러야 하는데?"

찰리는 별이라는 단어보다 더 나은 이름을 생각해
내느라 잠시 가만있었다. 바로 그 순간, 달팽이는
한밤중에 텐트 천을 타고 올라가며 여행하던 중에
엄청난 걸림돌을 만나게 되었다.

그건 바로 찰리였다.

아주 고집스러운 달팽이였다. 녀석은 포기하거나
돌아갈 생각이 전혀 없었다. 녀석은 아주 천천히
기어 넘기 시작했다.

찰리가 말했다.

"나라면 뭐라고 부를 거냐면……. 으악!"

찰리의 잠옷 윗도리를 넘어 어깨에 차가운
손가락이 닿는 느낌이었다. 찰리가 고래고래 소리를
질렀다.

"녀석이 내 침낭 안에 있어! 이런 젠장! 침낭 안에
유령이 들어왔다니까!"

찰리는 숨을 헐떡이며 몸부림을 치면서 이리
구르고 저리 구르고 그러다가는 벌떡 일어나서 발로
밟고 주먹으로 때리기도 하고 타고 앉기도 했다.
잔뜩 겁을 집어먹은 달팽이는 찰리의 잠옷에 꼭
달라붙었다. 고양이는 울타리를 넘어 멀리
사라졌다.

맥스는 숨이 넘어갈 정도로 웃어 대다가 물었다.

"녀석이 사라졌어?"

"그런 것 같아."

찰리는 침낭을 꼭 움켜쥐고는 말을 이었다.

"어쨌든 이 안에는 없어……. 으악!"

"또 뭐야?"

"내 목을 핥았어! 녀석이 내 잠옷 안으로
들어왔어!"

"찰리!"

맥스가 막아 보려고
했지만, 이미 찰리의
잠옷은 공중으로 날아가고
있었다.

찰리가 소리쳤다.

"정말 끔찍해! 도저히 참을
수가 없어! 잠옷 안에 유령이
들어가 내 목을 핥다니!"

화가 난 찰리는

씩씩거리며 벌거벗은 채 잠옷을 집어 들었다.
그러고는 잠옷을 비틀어 꽁꽁 묶어서는 울타리
너머로 던졌다.

찰리가 소리쳤다.

"됐어! 이제 끝이야! 사라졌다고! 야호! 내가
없앴어! 내가 했다고! 내가! 형도 봤지?"

"그래그래, 나도 봤어. 네가 침낭 안에 있던
유령을 밖으로 쫓아내 잠옷에 넣고 비틀어 묶어
울타리 너머로 던져 버렸어. 정말 멋지더구나."

"형은 내가 같이 와 줘서 다행이라고 생각하지?
분명히 그럴 거야."

찰리는 다시 침낭 안으로 기어 들어갔다.

맥스가 대답했다.

"맞아."

"다시 잠을 청해 볼 필요가 있을까?"

"모르겠어, 어쩌면 그럴 거야."

찰리는 한숨을 내쉬더니 무너져 버린 텐트 안으로
기어 들어갔다.

옆집 정원에는 고양이가 킁킁대며 찰리의 잠옷
냄새를 맡고 있었다. 고양이는 잠옷 한가운데
자리를 잡고 눈을 감았다.

기를 쓰고 찰리의 잠옷에 매달려 있던 달팽이는

울타리를 넘어 날아간 다음 몸을 풀고는 서둘러
사라졌다.

　찰리는 잠이 들었다. 맥스도 잠이 들었다.
고양이도 잠이 들었다. 하지만 달팽이는 아니었다.
달팽이는 스르륵 미끄러지듯 기어가서는 덤불숲
속에 몸을 숨기고는 다시는 여행을 떠나지 않았다.

제 6 장
헨리의 생각

월요일 오후, 찰리는 헨리랑 같이 집으로
걸어왔다. 찰리는 헨리에게 엠마 할머니 댁과
유령이 나타났던 텐트와 별 아래서 맥스 형을
유령에게서 구해 내기 위해 벌였던 싸움에 대해
모두 이야기해 주었다.

헨리가 말했다.

"전혀 너답지 않은 이야기인데."

찰리도 인정했다.

헨리가 물었다.

"정말 유령 위로 텐트를 무너뜨려서 유령을
납작하게 뭉개 버리고 울타리 너머로 던졌단
말이야? 한 번도 들어 본 적 없는 얘기라서 그래."

찰리는 짜증을 내며 말했다.

"못 믿겠으면 우리 형한테 물어봐."

"그런데 다시 돌아오지는 않았어?"

"응, 그날 밤에는 돌아오지 않았어. 그다음 날도.
비가 너무 많이 내려서 구멍을 통해 텐트 안으로
물이 밀려드는 바람에 부엌에 들어가 자야 했거든.
아무튼 유령은 돌아오지 않았어."

"어쩌면 비가 와서 못 왔나 보다."

찰리가 대들었다.

"내가 못 오게 했다니까."

헨리는 순순히 인정했다.

"오, 그래, 알았다고. 그런데 너, '닥터 후(영국
드라마의 하나 : 옮긴이)'에 유령이 나올 때 소파
뒤에 숨어 손가락으로 귀를 틀어막았던 일 기억나?"

하수구에 떨어져 있던 1페니(영국의 화폐
단위 : 옮긴이)를 줍기 위해 몸을 숙이고 있던
찰리는, 바로 그 순간 유령이 휙 나타나서 거리
한복판에 서 있는 헨리를 그대로 잡아갔으면 하고
아주 간절하게 빌었다. 그런 일이 벌어진다고 해도
이번에는 유령을 막기 위해 아무 짓도 하지 않을
생각이었다.

헨리가 물었다.

"1페니짜리 동전 모으는 거야? 겨우 그걸로
길모퉁이에 사는 아저씨네 자동차 수리비를 물어
주는 데 도움이 되겠어?"

유령이 나타난다면 이번에는 유령을 막는 게
아니라 유령을 꼭 돕겠다고 찰리는 결심했다.

찰리는 심술궂은 목소리로 크게 말했다.

"오토바이 사려고 모으는 중이야."

"정말 좋겠다. 너무 빨리 몰지만 않는다면 말이야.
넌 시장에서 토마스(만화 영화 '꼬마 기관차
토마스와 친구들'에 나오는 기차 이름 : 옮긴이)
기차를 타다가도 겁이 나서 자꾸 세웠잖아."

찰리와 헨리는 서로를 노려보았다.

찰리가 말했다.

"너, 옛날보다 더 못돼졌구나."

"내가? 내가 못됐다고? 우리 집에 와서 자겠다고
해 놓고 오지 않은 게 누군데? 정원에서 캠핑을
하려고 엄마한테 가까스로 허락도 받아 놨는데
말이야. 엄마가 거의 돌 정도로 계속 졸라서 어렵게
받아 낸 허락이라고. 넌 그게 얼마나 힘든
일이었는지 모를 거야! 그런데도 너는 그 망할 엠마
할머니네로 갔잖아. 술집에도 가 보고 오토바이도
타 보고, 유령도 쫓아 보면서(꿈에서겠지만) 너만
신 나게 보냈잖아. 그랬으니 이제 다시는 우리 집
정원에서 캠핑 따위는 하고 싶지 않겠지. 더욱이
네가 유리창을 깨뜨린 자동차의 주인아저씨가 우리
집에서 그렇게 가깝게 살고 있으니 말이야!"

찰리는 아무 말도 하지 않았다.

"아직도 그 아저씨가 무섭지!"

찰리는 자신이 아직도 아저씨를 무서워하는 것 같았다.

"난 그 이유를 모르겠어. 아저씨는 맥스 형이 깨뜨렸다고 생각하잖아. 네가 아니라."

그 말을 들으니 끔찍했다.

헨리가 말했다.

"불쌍한 맥스 형!"

'그래, 불쌍한 맥스 형.'이라며 찰리도 인정했다. 속으로 조용히 '나도 불쌍해.'라고 생각했다.

'집으로 돌아온 다음에 뭐가 달라졌지? 엠마 할머니 집에서는 용감하게 행동하는 게 참 쉬웠는데. 그런 용기가 다 어디로 간 걸까? 다시는 슈퍼 영웅이 될 수 없는 걸까? 앞으로도 계속 길모퉁이에 사는 아저씨를 두려워하며 살아야 하는 걸까? 아저씨는 계속 앞 유리창을 깨뜨린 사람이

맥스 형이라고 생각할까?'

찰리는 안타까운 마음으로 스스로에게 물었다.

'용감하게 행동하는 것이 얼마나 멋졌었는지
일깨워 줄 만큼의 용기도 남지 않은 걸까?'

찰리는 걸음을 재촉했다.

그러다 천천히 달리기 시작했다.

어느새 찰리는 놀라운 속도로 달리고 있었다.
찰리는 길모퉁이에 사는 아저씨 집까지 총알처럼
달려가 계단을 올라가서 문을 쾅쾅 두들겼다.

문이 열리자마자 찰리는 숨을 헐떡이며 말했다.

"저예요! 자동차 앞 유리창을 깨뜨린 사람은
저예요! 맥스 형이 아니라 저라고요!"

길모퉁이에 사는 아저씨는 여느 때처럼
무뚝뚝했다.

"너라고? 큰아이가 아니고 작은아이였군. 흠,
그게 나랑 무슨 상관이람."

하지만 찰리에게는 상관이 있었다.

엄청난 차이였다.

찰리는 길에서 자기를 물끄러미 보고 있던 헨리
옆을 지나 거리를 달려 집으로 들어가서는 곧장
2층으로 올라갔다.

맥스는 찰리와 같이 쓰는 방 책상에 앉아 숙제를

하고 있었다.

찰리가
소리쳤다.
"형, 내가
해냈어! 내가
말했어!
길모퉁이에 사는
아저씨한테 말했다고! 내가 아저씨네 집으로 가서
유리창을 깬 이야기를 다 했어! 형이 아니라고
했어! 내가 깼다고 말했다고!"

"그랬어?"

맥스가 물었다. 책상에 그대로 앉아 있기는
했지만 맥스는 이제껏 본 적 없는 환한 미소를 짓고
있었다.

"응."

찰리는 대답한 다음 휙 돌아섰다. 계단을 뛰어

내려와 헨리를 찾아 밖으로 나왔다. 그러고는
헨리가 원할 때 언제든 정원에 가서 캠핑을
하겠다고 말했다.

헨리는 기뻐하며 대답했다.

"지금 당장 엄마한테 조르자."

둘은 당장 엄마를 졸라 대려고 서둘렀다. 얼마나
힘들고 시간이 걸렸던지……. 찰리는 길모퉁이에
사는 아저씨에 대해 어느새 다 잊고 있었다.

잠자리에 들어 맥스 형이 불쑥 이렇게 말했을 때
다시 생각났다.

"찰리?"

"왜?"

"고마워."

찰리가 대답했다.

"아, 뭐 그런 걸 가지고."

옮긴이의 말

　찰리에게는 형이 있습니다. 맥스 형은 키도 크고, 운동도 잘하고, 공부도 잘하고, 유명한 학교에도 다닙니다. 하지만 찰리는 형이 귀찮고 밉기만 합니다. 찰리에게는 자주 이래라저래라 잔소리하고 야단만 치거든요.

　어느 날, 학교에 가던 형이 2층에 있는 찰리에게 소리를 지르며 축구화를 던져 달라고 합니다. 찰리는 유리창으로 축구화를 힘껏 던졌고, 그 바람에 길모퉁이에 사는 아저씨의 노란색 스포츠카 앞쪽 유리창을 깨고 맙니다. 사과도 하고 축구화도 찾을 겸 아저씨를 찾아갔던 찰리와 맥스는 혼만 나고 돌아옵니다. 맥스가 누명을 뒤집어쓴 채 말이지요. 맥스 형은 찰리를 일러바치지 않고, 찰리는 그런 형이 고맙기만 합니다.

87

찰리는 어떻게든 형에게 보답하고 싶어 벼르고 있었습니다. 마침 형이 그렇게 가고 싶어 하지 않는 엠마 할머니 댁으로 혼자 가서 자야 할 일이 생기지요. 형을 구해 줄 수 있는 기회가 온 거예요. 유령을 쫓아내 형을 도와주고 싶어 하는 찰리는 단짝 헨리네 집에 가서 자는 것을 포기하고 엠마 할머니 댁에 가서 형과 함께 보내게 됩니다.

한바탕 소란을 겪고 무사히 집으로 돌아온 찰리는 진짜로 용기를 내 봅니다. 무서운 스포츠카 주인아저씨를 찾아가 형이 아니라 자기가 유리창을 깼다고 솔직하게 고백한 거죠. 그 어느 때보다 찰리가 멋져 보이는 순간입니다. 여러분도 스스로 가장 멋진 순간의 주인공이 되어 보는 건 어때요?

지혜연